Collins

Very First Irish Words

HarperCollins Publishers
Westerhill Road
Bishopbriggs
Glasgow
G64 2QT

First edition 2012

Reprint 10 9 8 7 6 5 4 3 2 1 0

© HarperCollins Publishers 2012

ISBN 978-0-00-744749-7

Collins ® is a registered trademark of
HarperCollins Publishers Limited

www.collinslanguage.com

A catalogue record for this book is available
from the British Library

Printed by Imago in China

Audio recorded and produced by
www.tomdickanddebbie.com

Artwork and design by Q2AMedia

Content developed and compiled by
Karen Jamieson

Project Management by Anna Stevenson

Translation by Gráinne Duffin

For the publisher:
Gaëlle Amiot-Cadey
Lucy Cooper
Kerry Ferguson
Elaine Higgleton
Lisa Sutherland

This book includes a CD of Irish words and phrases. The tracks on the CD are:

Contents

Welcome to Ireland!
Fáilte go hÉirinn!

Hello!
Dia duit!

Hello!
Dia is
Muire duit!

What's your
name?
Cé thusa?

My name
is Áine.
Is mise Áine.

Thank you.
Go raibh
maith agat.

You're welcome.
Fáilte romhat.

Goodbye.
Slán!

Goodbye.
Slán!

Did you know?

People say that anyone who kisses the Blarney
Stone at Blarney Castle will be given the "gift
of the gab" – they'll be able to talk a lot!

Blarney Castle
Caisleán na Blarnan (m)

Irish dancing
damhsa Gaelach (m)

tin whistle	harp	fiddle
feadóg stáin (f)	cláirseach (f)	fidil (f)

hurling
iomáint (f)

Did you know?

Irish people celebrate St Patrick's Day on 17 March by dressing in green!

My family
Mo theaghlach

grandpa
daideo (m)

grandma
mamó (f)

Activities

1. Find the hidden parrot.
2. Who lives with you?

brother
deartháir (m)

4

mummy
mamaí (f)

daddy
daidí (m)

me
mise

sister
deirfiúr (f)

5

My pets
Mo pheataí

hamster
hamstar (m)

kitten
puisín (m)

guinea pig
muc ghuine (f)

Activities

1. Find the hidden umbrella.
2. Can you hop like a rabbit and stretch like a cat?

tortoise
toirtís (f)

rabbit
coinín (m)

cat
cat (m)

puppy
coileán (m)

dog
madra (m)

My day
Mo lá

I get up.
Éirím.

I get dressed.
Gléasaim mé féin.

I go to school.
Téim ar scoil.

I play.
Bím ag súgradh.

Activities

1. Find the hidden kangaroo.
2. What have you done today?

I have a snack.
Bíonn sos agam.

8

I listen to a story.
Éistim le scéal.

I go home.
Téim abhaile.

I have a bath.
Bíonn folcadh agam.

I go to bed.
Téim a luí.

The weather
An aimsir

It's rainy.
Tá sé ag cur fearthainne.

It's snowy.
Tá sé ag cur sneachta.

It's sunny.
Tá sé grianmhar.

It's windy.
Tá sé gaofar.

Activities

1. Find the hidden tiger.
2. What's the weather like today?

It's cloudy.
Tá sé scamallach.

It's hot.
Tá sé te.

It's cold.
Tá sé fuar.

It's stormy.
Tá sé stoirmiúil.

My body and face
Mo chorp agus m'aghaidh

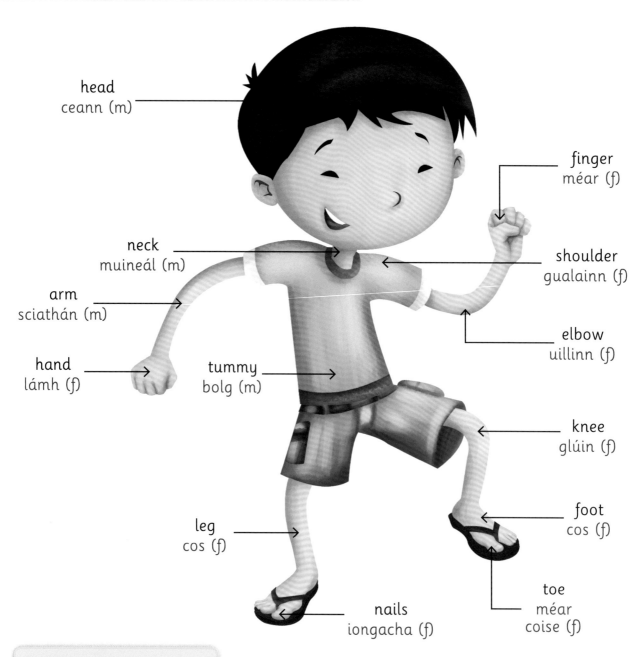

head
ceann (m)

finger
méar (f)

neck
muineál (m)

shoulder
gualainn (f)

arm
sciathán (m)

elbow
uillinn (f)

hand
lámh (f)

tummy
bolg (m)

knee
glúin (f)

foot
cos (f)

leg
cos (f)

toe
méar
coise (f)

nails
iongacha (f)

Activities

1. Can you pat your head and rub your tummy?
2. Can you touch your toes?

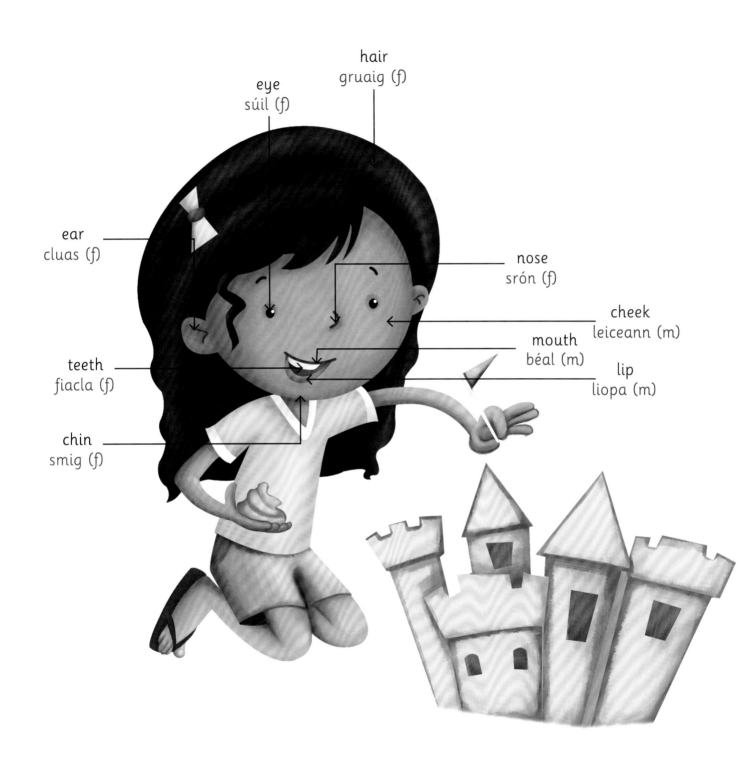

eye
súil (f)

hair
gruaig (f)

ear
cluas (f)

nose
srón (f)

cheek
leiceann (m)

mouth
béal (m)

teeth
fiacla (f)

lip
liopa (m)

chin
smig (f)

How I feel
Mothúcháin

I'm angry.
Tá fearg orm.

I'm sad.
Tá mé brónach.

I'm happy.
Tá mé sona.

I'm tired.
Tá mé tuirseach.

Activities

1. Find the hidden apple.
2. How do you feel today?

I'm hungry.
Tá ocras orm.

I'm thirsty.
Tá tart orm.

I'm scared.
Tá eagla orm.

I'm shy.
Tá mé cúthail.

Things I do
Rudaí a dhéanaim

I stand up.
Seasaim suas.

I sit down.
Suím síos.

I touch my toes.
Sínim chuig mo mhéara coise.

I jump.
Léimim.

Activities

1. Find the hidden teddy.
2. Mime some of these actions.

I eat.
Ithim.

I drink.
Ólaim.

I cry.
Bím ag gol.

I laugh.
Bím ag gáire.

More things I do
Rudaí eile a dhéanaim

I hold my daddy's hand.
Coinním lámh mo Dhaidí.

I wave.
Croithim lámh.

I run.
Rithim.

I walk.
Siúlaim.

Activities

1. Find the hidden shell.
2. Can you make a noise like a monkey?

18

I clap.
Buailim bosa.

I dance.
Déanaim damhsa.

I sing.
Canaim amhrán.

I make a circle.
Déanaim fáinne.

I can count
Is féidir liom comhaireamh

1 a haon

2 a dó

3 a trí

4 a ceathair

5 a cúig

6 a sé

7 a seacht

8 a hocht

9 a naoi

10 a deich

Colours
Dathanna

white
bán

green
glas

blue
gorm

Activities

1. Find the hidden snake.
2. Find all the colours in the picture.

purple
corcra

black
dubh

22

brown
donn

grey
liath

pink
bándearg

red
dearg

yellow
buí

orange
oráiste

Summer clothes
Éadaí samhraidh

skirt
sciorta (m)

shirt
léine (f)

T-shirt
t-léine (f)

Activities

1. Find the hidden trumpet.
2. What do you wear in summer?

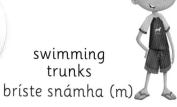

swimming
trunks
bríste snámha (m)

swimsuit
culaith
shnámha (f)

shorts
bríste gairid (m)

sandals
cuaráin (m)

dress
gúna (m)

sunglasses
spéaclaí gréine (m)

sun hat
hata gréine (m)

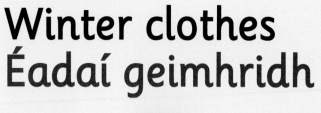

Winter clothes
Éadaí geimhridh

jacket
casóg (f)

boots
buataisí (f)

Activities

1. Find the hidden bicycle.
2. What do you wear in winter?

gloves
miotóga (f)

scarf
scairf (f)

26

coat
cóta (m)

trousers
bríste (m)

jeans
bríste géine (m)

shoes
bróga (f)

hat
hata (m)

sweatshirt
geansaí (m)

My classroom
Mo sheomra ranga

teacher
múinteoir (m)

computer
ríomhaire (m)

girl
cailín (m)

Activities

1. Find the hidden birthday cake.
2. How many children are in the picture?

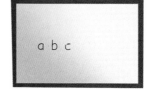

whiteboard
clár bán (m)

schoolbag
mála scoile (m)

toys
bréagáin (m)

poster
postaer (m)

bookcase
leabhragán (m)

boy
gasúr (m)

book
leabhar (m)

chair
cathaoir (f)

table
tábla (m)

pencil case
cás peann
luaidhe (m)

Fast or slow?
Gasta nó mall?

rabbit
coinín (m)

slow | fast
mall | gasta

tortoise
toirtís (f)

small | big
beag | mór

Activities

1. Find the hidden train.
2. Can you move slowly like a tortoise and fast like a rabbit?

hippo
dobhareach (m)

strong | weak
láidir | lag

gorilla
goraille (m)

dirty | clean
salach | glan

monkey
moncaí (m)

elephant
eilifint (f)

Find the shapes
Aimsigh na cruthanna

star
réalta (f)

heart
croí (m)

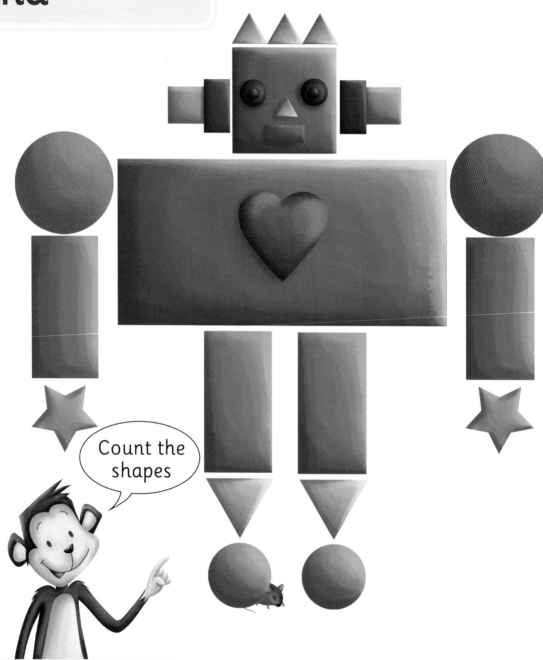

Count the shapes

Activities

1. Find the hidden mouse.
2. How many of each shape can you see in the robot?

rectangle
dronuilleog (f)

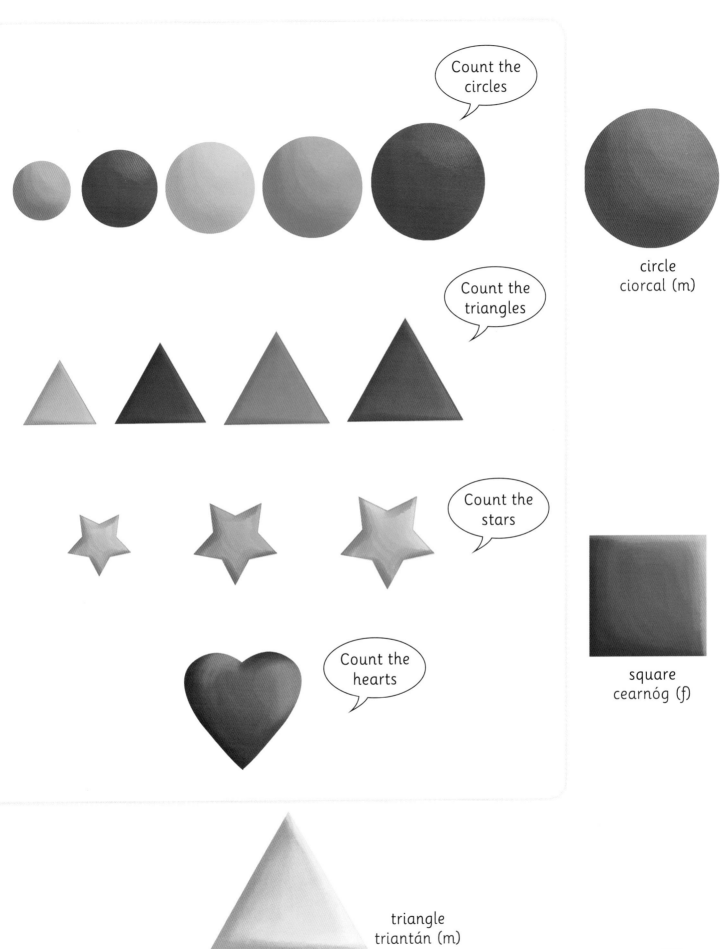

Count the
circles

Count the
triangles

Count the
stars

Count the
hearts

circle
ciorcal (m)

square
cearnóg (f)

triangle
triantán (m)

33

In the sea
San fharraige

dolphin
deilf (f)

octopus
ochtapas (m)

seal
rón (m)

Activities

1. Find the hidden schoolbag.
2. How many fish can you see in the picture?

shark
siorc (m)

fish
iasc (m)

turtle
turtar (m)

walrus
rosualt (m)

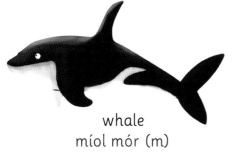

whale
míol mór (m)

penguin
piongain (f)

On the farm
Ar an fheirm

farmer
feirmeoir (m)

straw
cochán (m)

chicken
sicín (m)

Activities

1. Find the hidden octopus.
2. Can you make farm animal noises?

donkey
asal (m)

goose
gé (f)

sheep
caora (f)

mouse
luchóg (f)

rat
francach (m)

duck
lacha (f)

cow
bó (f)

horse
capall (m)

Animal Olympics
Oilimpeacha na nAinmhithe

baboon
babún (m)

crocodile
crogall (m)

Activities

1. Find the hidden hat.
2. Which animal do you like best?

elephant
eilifint (f)

zebra
séabra (m)

giraffe
sioráf (m)

rhino
srónbheannach (m)

hippo
dobhareach (m)

lion
leon (m)

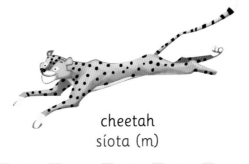
cheetah
síota (m)

Seaside dance
Damhsa na trá

shell
sliogán (m)

starfish
crosóg mhara (f)

Activities

1. Find the hidden spoon.
2. Can you pretend to be a starfish?

jellyfish
smugairle róin (m)

seahorse
capall mara (m)

seaweed
feamainn (f)

crab
portán (m)

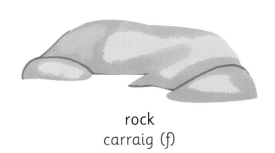

rock
carraig (f)

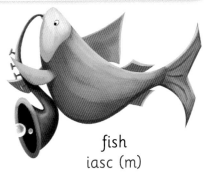

fish
iasc (m)

At the castle
Ag an chaisleán

princess
banphrionsa (m)

prince
prionsa (m)

dragon
dragan (m)

Activities

1. Find the hidden crab.
2. Can you roar like a dragon?

castle
caisleán (m)

crown
coróin (f)

musician
ceoltóir (m)

knight
ridire (m)

flag
bratach (f)

king
rí (m)

queen
banríon (f)

43

Jungle football
Peil sa dufair

monkey
moncaí (m)

chimpanzee
simpeansaí (m)

snake
nathair (f)

Activities

1. Find the hidden drum.
2. Can you slither like a snake?

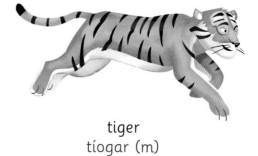

tiger
tíogar (m)

gorilla
goraille (m)

parrot
pearóid (f)

orangutan
órangútán (m)

lizard
laghairt (f)

leopard
liopard (m)

45

Bugs and mini beasts
Feithidí agus mionbheithigh

bee
beach (f)

butterfly
féileacán (m)

Activities

1. Find the hidden bananas.
2. Can you buzz like a bee?

ladybird
bóin Dé (f)

grasshopper
dreoilín
teaspaigh (m)

ant
seangán (m)

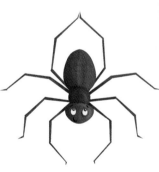

spider
damhán alla (m)

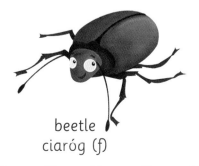

beetle
ciaróg (f)

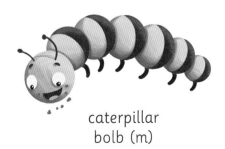

caterpillar
bolb (m)

My birthday party
Mo chóisir lá breithe

birthday present
bronntanas lá
breithe (m)

birthday card
cárta lá breithe (m)

ice cream
uachtar reoite (m)

Activities

1. Find the hidden bee.
2. Can you count the candles on the cake?

balloon
balún (m)

birthday cake
cáca lá breithe (m)

candle
coinneal (f)

fruit
torthaí (m)

friend
cara (m)

friend
cara (m)

sandwiches
ceapairí (m)

popcorn
grán rósta (m)

sweets
milseáin (m)

water
uisce (m)

49

Breakfast time
Am bricfeasta

toast
tósta (m)

coffee
caife (m)

tea | cup
tae (m) | cupán (m)

Activities

1. Find the hidden paintbrush.
2. What do you have for breakfast?

yoghurt
iógart (m)

spoon
spúnóg (f)

glass
gloine (f)

honey
mil (f)

juice
sú (m)

jam
subh milis (m)

cereal
gránach (m)

milk
bainne (m)

bread
arán (m)

knife
scian (f)

My town
Mo bhaile mór

swimming pool
linn snámha (f)

hairdresser's
gruagaire (m)

library
leabharlann (f)

school
scoil (f)

Activities

1. Find the hidden chimpanzee.
2. Which of these things have you seen in your town?

car
carr (m)

doctor's
an dochtúir (m)

road
bóthar (m)

playground
clós súgartha (m)

motorbike
gluaisrothar (m)

toy shop
siopa
bréagán (m)

supermarket
ollmhargadh (m)

dentist's
fiaclóir (m)

bus
bus (m)

53

At the park
Ag an pháirc

lake
loch (m)

bicycle
rothar (m)

kite
eitleog (f)

ball
liathróid (f)

Activities

1. Find the hidden tortoise.
2. Do you like to play at the park?

boat
bád (m)

seesaw
cranndaí bogadaí (m)

tree
crann (m)

bin
bosca bruscair (m)

slide
sleamhnán (m)

bird
éan (m)

scooter
scútar (m)

swing
luascán (m)

climbing frame
fráma dreapadóireachta (m)

At the supermarket
Ag an ollmhargadh

lettuce
leitís (f)

mushroom
beacán (m)

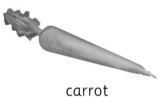

carrot
cairéad (m)

Activities

1. Find the hidden train.
2. Which vegetables do you like best?

potato
práta (m)

broccoli
brocailí (m)

basket
ciseán (m)

tomato
tráta (m)

cucumber
cúcamar (m)

red pepper
piobar dearg (m)

onion
oinniún (m)

green pepper
piobar glas (m)

The fruit stall
Stainnín na dtorthaí

watermelon
mealbhacán uisce (m)

pear
piorra (m)

pineapple
anann (m)

Activities

1. Find the hidden seahorse.
2. What is your favourite fruit?

orange
oráiste (m)

strawberry
sú talún (m)

banana
banana (m)

peach
péitseog (f)

apple
úll (m)

grapes
fíonchaora (f)

cherry
silín (m)

59

In the kitchen
Sa chistin

butter
im (m)

scales
scálaí (m)

flour
plúr (m)

Activities

1. Find the hidden sunglasses.
2. Do you like to help in the kitchen?

plate
pláta (m)

honey
mil (f)

60

egg
ubh (f)

sugar
siúcra (m)

bowl
babhla (m)

spoon
spúnóg (f)

whisk
greadtóir (m)

oven
oigheann (m)

biscuit
briosca (m)

61

A special dinner
Dinnéar speisialta

knife
scian (f)

rice
rís (f)

fork
forc (m)

pepper
piobar (m)

Activities

1. Find the hidden flower.
2. What do you like to eat for dinner?

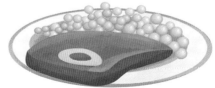

steak
stéig (f)

peas
piseanna (f)

ketchup
citseap (m)

salad
sailéad (m)

soup
anraith (m)

fish
iasc (m)

salt
salann (m)

hamburger
burgar (m)

chips
sceallóga (f)

potato
práta (m)

beans
pónairí (m)

63

At bedtime
Ag am luí

towel
tuáille (m)

I have a shower.
Glacaim cithfholcadh.

I dry myself.
Tromaím mé féin.

I put on my pyjamas.
Cuirim mo phitseámaí orm.

teddy bear
teidí (m)

I brush my teeth.
Scuabaim mo chuid fiacla.

I brush my hair.
Scuabaim mo chuid gruaige.

Activities

1. Find the hidden cat.
2. What time do you go to bed?

bed
leaba (f)

I go to the toilet.
Téim chuig an leithreas.

I wash my hands.
Ním mo lámha.

pyjamas
pitseámaí (m)

I get into bed.
Téim isteach sa leaba.

mirror
scáthán (m)

I kiss my teddy.
Pógaim mo theidí.

I say goodnight.
Deirim oíche mhaith.

toothpaste
taos fiacla (m)

toothbrush
scuab fiacla (f)

Art
Ealaín

paper
páipéar (m)

glue
gliú (m)

Activities

1. Find the hidden rabbit.
2. How many pencils are on the table?

crayon
crián (m)

66

scissors
siosúr (m)

pencil
peann luaidhe (m)

marker
marcóir (m)

paint
péint (f)

brush
scuab (f)

Music
Ceol

triangle
triantán (m)

guitar
giotár (m)

Activities

1. Find the hidden pair of scissors.
2. Mime playing one of the instruments.

keyboard
méarchlár (m)

tambourine
tambóirín (m)

trumpet
trumpa (m)

drum
druma (m)

xylophone
xileafón (m)

violin
veidhlín (m)

Let's play!
Bímis ag spraoi!

ball
liathróid (f)

bricks
brící (m)

fire engine
inneall
dóiteáin (m)

Activities

1. Find the hidden duck.
2. What is your favourite toy?

plane
eitleán (m)

train
traein (f)

rocket
roicéad (m)

doll
bábóg (f)

toy box
bosca bréagán (m)

teddy bear
teidí (m)

puzzle
puzal (m)

71

Food in Ireland
Bia in Éirinn

Irish stew
stobhach Gaelach (m)

potato bread
arán prátaí (m)

barmbrack
bairín breac (m)

soda bread
arán sóide (m)

At school
Ar scoil

Activities

1. Find the hidden flower.
2. Which of these foods would you like to try?

sandwiches
ceapairí (m)

chocolate
seacláid (f)

soup
anraith (m)

turnip
tornapa (m)

champ
brúitín (m)

At home
Sa bhaile

bacon and cabbage
bagún (m) agus
cabáiste (m)

apple tart
toirtín úll (m)

shepherd's pie
píóg an aoire (f)

Words and phrases
Focail agus frásaí

m = masculine; f = feminine; pl = plural in Irish only; sing = singular in Irish only

A, a

angry: I'm angry. Tá
    fearg orm.
animal ainmhí m
ant seangán m
apple úll m
apple tart toirtín úll m
arm sciathán m
art ealaín f

B, b

baboon babún m
bacon bagún m
ball liathróid f
balloon balún m
banana banana m
barmbrack bairín breac m
basket ciseán m
bath: I have a bath. Bíonn
    folcadh agam.
beans pónairí m
bed leaba f; I get into bed. Téim
    isteach sa leaba. I go to bed.
    Téim a luí.
bee beach f
beetle ciaróg f
bicycle rothar m
big mór
bin bosca bruscair m
bird éan m
birthday breithlá m
birthday cake cáca lá breithe m
birthday card cárta lá breithe m
birthday party cóisir lá breithe f
birthday present bronntanas lá
    breithe m
biscuit briosca m
black dubh
Blarney Castle Caisleán na
    Blarnan m
blue gorm
boat bád m
body corp m

book leabhar m
bookcase leabhragán m
boots buataisí f
bowl babhla m
boy gasúr m
bread arán m
breakfast bricfeasta m
bricks brící m
broccoli brocailí m
brother deartháir m
brown donn
brush scuab f
bus bus m
butter im m
butterfly féileacán m

C, c

cabbage cabáiste m
candle coinneal f
car carr m
carrot cairéad m
castle caisleán m
cat cat m
caterpillar bolb m
cereal gránach m
chair cathaoir f
champ brúitín m
cheek leiceann m
cheetah síota m
cherry silín m
chicken sicín m
chimpanzee simpeansaí m
chin smig f
chips sceallóga f
chocolate seacláid f
circle ciorcal m; I make a circle.
    Déanaim fáinne.
clap: I clap. Buailim bosa.
classroom seomra ranga m
clean glan
climbing frame fráma
    dreapadóireachta m
clothes éadaí m

cloudy: It's cloudy. Tá sé
    scamallach.
coat cóta m
coffee caife m
cold: It's cold. Tá sé fuar.
colour dath m
computer ríomhaire m
cow bó f
crab portán m
crayon crián m
crocodile crogall m
crown coróin f
cry: I cry. Bím ag gol.
cucumber cúcamar m
cup cupán m

D, d

daddy daidí m
dance: I dance. Déanaim damhsa.
day lá m
dentist's an fiaclóir m
dinner dinnéar m
dirty salach
doctor's an dochtúir m
dog madra m
doll bábóg f
dolphin deilf f
donkey asal m
dragon dragan m
dress gúna m
dressed: I get dressed. Gléasaim
    mé féin.
drink: I drink. Ólaim.
drum druma m
dry: I dry myself. Tromaím mé féin.
duck lacha f

E, e

ear cluas f
eat: I eat. Ithim.
egg ubh f
eight a hocht
elbow uillinn f
elephant eilifint f
eye súil f

F, f

face aghaidh f
family teaghlach m

farm feirm f
farmer feirmeoir m
fast gasta
fiddle fidil f
finger méar f
fire engine inneall dóiteáin m
fish iasc m
five a cúig
flag bratach f
flour plúr m
foot cos f
football peil f
fork forc m
four a ceathair
friend cara m
fruit torthaí m pl

G, g

get up: I get up. Éirím.
giraffe sioráf m
girl cailín m
glass gloine f
gloves miotóga f
glue gliú m
go: I go to school. Téim ar scoil.
    I go home. Téim abhaile.
goodbye slán!
goodnight oíche mhaith
goose gé f
gorilla goraille m
grandma mamó f
grandpa daideo m
grapes fíonchaora m
grasshopper dreoilín teaspaigh m
green glas
green pepper piobar glas m
grey liath
guinea pig muc ghuine f
guitar giotár m

H, h

hair gruaig f; I brush my hair.
    Scuabaim mo chuid gruaige.
hairdresser's an gruagaire m
hamburger burgar m
hamster hamstar m
hand lámh f
happy: I'm happy. Tá mé sona.

harp cláirseach f
hat hata m
head ceann m
heart croí m
hello dia duit
hippo dobhareach m
hold: I hold my daddy's hand.
    Coinním lámh mo Dhaidí.
honey mil f
horse capall m
hot: It's hot. Tá sé te.
hungry: I'm hungry. Tá ocras orm.
hurling iomáint f

I, i

ice cream uachtar reoite m
Ireland Éire f
Irish dancing damhsa Gaelach m
Irish stew stobhach Gaelach m

J, j

jacket casóg f
jam subh milis m
jeans bríste géine m sing
jellyfish smugairle róin m
juice sú m
jump: I jump. Léimim.
jungle dufair f

K, k

ketchup citseap m
keyboard méarchlár m
king rí m
kiss: I kiss my teddy. Pógaim
    mo theidí.
kitchen cistin f
kite eitleog f
kitten puisín m
knee glúin f
knife scian f
knight ridire m

L, l

ladybird bóín Dé f
lake loch m
laugh: I laugh. Bím ag gáire.
leg cos f
leopard liopard m
lettuce leitís f

library leabharlann f
lion leon m
lip liopa m
listen: I listen to a story. Éistim
    le scéal.
lizard laghairt f

M, m

marker marcóir m
me mise
milk bainne m
mirror scáthán m
monkey moncaí m
motorbike gluaisrothar m
mouse luchóg f
mouth béal m
mummy mamaí f
mushroom beacán m
music ceol m
musician ceoltóir m

N, n

nails iongacha f
name: What's your name?
    Cé thusa? My name is Áine.
    Is mise Áine.
neck muineál m
nine a naoi
nose srón f

O, o

octopus ochtapas m
one a haon
onion oinniún m
orange (colour) oráiste
orange (fruit) oráiste m
orangutan órangútán m
oven oigheann m

P, p

paint péint f
paper páipéar m
park páirc f
parrot pearóid f
peach péitseog f
pear piorra m
peas piseanna f
pencil peann luaidhe m
pencil case cás peann luaidhe m

penguin piongain f
pepper piobar m
pet peata m
pineapple anann m
pink bándearg
plane eitleán m
plate pláta m
play: I play. Bím ag súgradh.
playground clós súgartha m
popcorn grán rósta m
poster postaer m
potato práta m
potato bread arán prátaí m
prince prionsa m
princess banphrionsa m
puppy coileán m
purple corcra
put on: I put on my pyjamas.
    Cuirim mo phitseámaí orm.
puzzle puzal m
pyjamas pitseámaí m

Q, q
queen banríon f

R, r
rabbit coinín m
rainy: It's rainy. Tá sé ag cur
    fearthainne.
rat francach m
rectangle dronuilleog f
red dearg
red pepper piobar dearg m
rhino srónbheannach m
rice rís f
road bóthar m
rock carraig f
rocket roicéad m
ruler rialóir m
run: I run. Rithim.

S, s
sad: I'm sad. Tá mé brónach.
salad sailéad m
salt salann m
sandals cuaráin m
sandcastle caisleán gainimh m
sandwich ceapaire m
scales scálaí m

scared: I'm scared. Tá eagla orm.
scarf scairf f
school scoil f
schoolbag mála scoile m
scissors siosúr m sing
scooter scútar m
sea farraige f
seahorse capall mara m
seal rón m
seaweed feamainn f
seesaw cranndaí bogadaí m
seven a seacht
shape cruth m
shark siorc m
sheep caora f
shell sliogán m
shepherd's pie pióg an aoire f
shirt léine f
shoes bróga f
shorts bríste gairid m sing
shoulder gualainn f
shower: I have a shower. Glacaim
    cithfholcadh.
shy: I'm shy. Tá mé cúthail.
sing: I sing. Canaim amhrán.
sister deirfiúr f
sit down: I sit down. Suím síos.
six a sé
skirt sciorta m
slide sleamhnán m
slow mall
small beag
snack: I have a snack. Bíonn
    sos agam.
snake nathair f
snowy: It's snowy. Tá sé ag
    cur sneachta.
soda bread arán sóide m
soup anraith m
spider damhán alla m
spoon spúnóg f
square cearnóg f
stairs staighre m
stand up: I stand up. Seasaim
    suas.
star réalta f
starfish crosóg mhara f
steak stéig f

stormy: It's stormy. Tá sé stoirmiúil.

straw cochán m

strawberry sú talún m

strong láidir

sugar siúcra m

sun grian f

sun hat hata gréine m

sunglasses spéaclaí gréine m

sunny: It's sunny. Tá sé grianmhar.

supermarket ollmhargadh m

sweatshirt geansaí m

sweets milseáin m

swimming pool linn snámha f

swimming trunks bríste snámha m sing

swimsuit culaith shnámha f

swing luascán m

T, t

table tábla m

tambourine tambóirín m

tea tae m

teacher múinteoir m

teddy bear teidí m

teeth fiacla f; I brush my teeth. Scuabaim mo chuid fiacla

ten a deich

thank you go raibh maith agat

thirsty: I'm thirsty. Tá tart orm.

three a trí

tiger tíogar m

tin whistle feadóg stáin f

tired: I'm tired. Tá mé tuirseach.

toast tósta m

toe méar coise f

toilet: I go to the toilet. Téim chuig an leithreas.

tomato tráta m

toothbrush scuab fiacla f

toothpaste taos fiacla m

tortoise toirtís f

touch: I touch my toes. Sínim chuig mo mhéara coise.

towel tuáille m

town baile mór m

toy box bosca bréagán m

toy shop siopa bréagán m

toys bréagáin m

train traein f

tree crann m

triangle triantán m

trousers bríste m sing

trumpet trumpa m

T-shirt t-léine f

tummy bolg m

turnip tornapa m

turtle turtar m

two a dó

U, u

umbrella scáth fearthainne m

V, v

violin veidhlín m

W, w

walk: I walk. Siúlaim.

walrus rosualt m

wash: I wash my hands. Ním mo lámha.

water uisce m

watermelon mealbhacán uisce m

wave: I wave. Croithim lámh.

weak lag

weather aimsir f

welcome: You're welcome. Fáilte romhat.

whale míol mór m

whisk greadtóir m

white bán

whiteboard clár bán m

windy: It's windy. Tá sé gaofar.

X, x

xylophone xileafón m

Y, y

yellow buí

yoghurt iógart m

Z, z

zebra séabra m